나가하마 To Be, or Not To Be

나가하마
투비or낫투비 Scarlet BERIKO

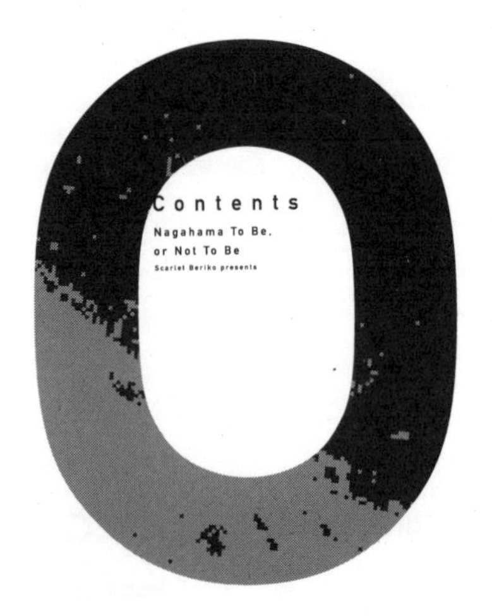

Contents

Nagahama To Be, or Not To Be

Scarlet Beriko presents

나가하마
To Be, or Not To Be

제 1 화

봐라.
와예,
아베 쌤?
니 오늘도
중앙시장
갈 기가?
나기사~!

앗! 니 담배!
불은 안 붙였다카요.
그기 문제가 아니잖애!

이거 잇사한테 좀 전해도.
진로상담 일정을 잡을라카는데, 부모님이 암만 문자를 해도 답이 읎다.
오키, 걱정 마이소.
글마도 니만큼 학교를 좋아하믄 참 좋을 낀데~.
약

앗, 그라고 1학년의 사이토가 요새 영 불량스럽드라.
축구의 신이 주의 쪼매 주그래이.
예에? 누가 신이라예?
그기 생활지도 쌤 할 일 아닌교.
말은 그래도 다 해주는 거 안다~. 고맙대이!
아~놔! 교사가 돼가~!
아, 됐으요!
선배!!
휘유~
어? 나기사 선배다!

안녕 하이소!
오도바이 태워 드릴까예?
탈탈탈탈탈탈
앗, 진짜가?
아싸
어디 가는 길이라예?
투욱
불량학생 있는 데.
도미
上
도미

어라?
두리번
두리번
뭐꼬….
오늘은
읎나?
불쑥
아재요….
오늘 아주
싱싱한 게
들어왔다
안 합니꺼.
흐응…
그럼 두 개만
주이소.
와 갑자기
암거래
풍이고?
하하하
퍽

…와?
그기는 내가 할 소리재.
원하는 물건 있음 뒷문으로 들어오라 안 했나.
뭐라노? 아직도 계속하는 기가?
됐다 마

와,
해물덮밥
필요 읎나?
앗,
그 얘기가?
그라믄
묵으야재!

음~
역시
어시장에서
묵는 생선은
다르다.
당연하재.
내 사부가
잡아온 긴데.
꿀꺽
…윽,
아.
맞다,
이거!

쌤이 전해달라 카대.
부모님이랑 진로상담 일정 잡아서 알려달라꼬.
아아.
꾸깃
인마!
하다못해 읽기라도 해라!

느그 부모는 뭐라 안 하나? '생선 팔지 말고 학교나 가라!'꼬.
상사
어데~.
돈 드니까 유급이나 하지 말라카드라.
맞나…

학교는 니가 가니까 됐다.
하?

내는 이쪽이
훨 재밌고,
보람 있다.
그니까 고마
내 몫까정 니가
재밌게 다니믄
된다.
니는
학교가
좋재?
아뿔싸,
목소리에
기쁨이
새나간다….
니는 참말
신기하대이.
하?
뭐라카노!
그기
말이 되나?
내는
모르겠네!
앗,
이 바보!
생각이 하도
독특해가
잘 모르겠다!
뭐가?
신기
하다꼬?

덥석
여는 금연 이다.

쪼매 있다 끝나니까 기다리래이.
예~!
잇사! 니 은제까지 땡땡이고!
쿠당
우왓

펴
펴
평범하게 좀 빼가라!

탁

우왓.
스윽
샥

아, 젠장.
머리론 아는데
발이
안 따라간대이!
아싸~
퍼뜩 가
음료수
사 온나~.

역시
현 대표 선수
출신은
못 당한다.
하~
배알이
꼴리네~.
푸하
벌렁...
'배알이
꼴리네'가
뭐꼬~?
할배
사투리가?

니
그 할배 같은
말투 땜에
놀림
안 받나?
얼라가
우리 할배
같다꼬.
가끔 손님이
웃긴 한다.

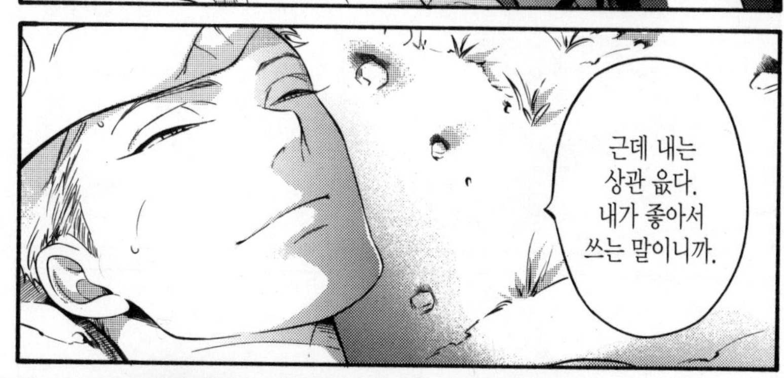
근데 내는
상관 읎다.
내가 좋아서
쓰는 말이니까.

니는 참말
불량
이고마~.
뭐라꼬?
하모

불량은 너재.
핑크머리에
담배 꼬나 불고,
배기바지 입고.
요새
그카는
얼라가
으뎄노?

내는
외모만
그카재,
내용물은
평범 그 자체다.
별 목표 없이
방황하는
고삐리.

니는
외모는
평범해도
세상의 규칙보다
니가
좋아하는 거에
매진한다.

그런 기
찐 불량이라카는
기라.
외모가 아이고,
내용물.

…그캐도 내는
불량소리
들을 맹키로
나쁜 짓은
안 하는데?
흠…

불량이라
안 한다.
나쁜 짓을
나쁜 짓맹키로
저지르는 기는
깡패라카재,
아이다.
내 안에서
불량이라카믄…
훨 좋은 기라!
맞나.
불량
알 듯 말 듯
하고마….
히히
됐다 마.
몰라도
된다.

헐떡
헐떡

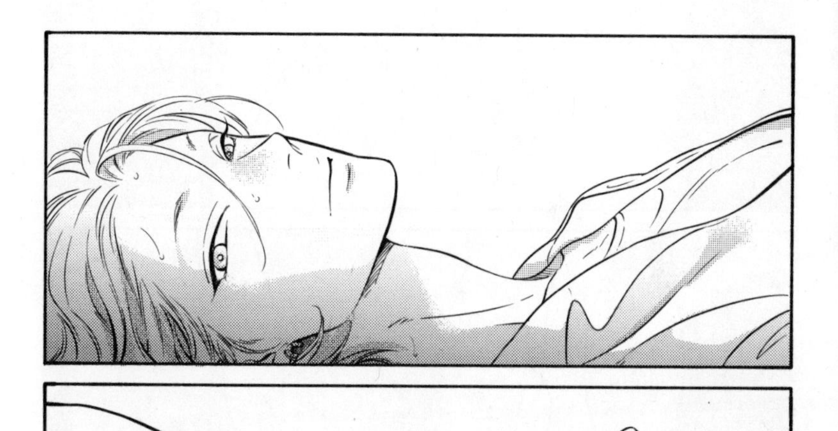

…니는 퍼뜩 음료수나 사온나.
…응?
펄럭 펄럭
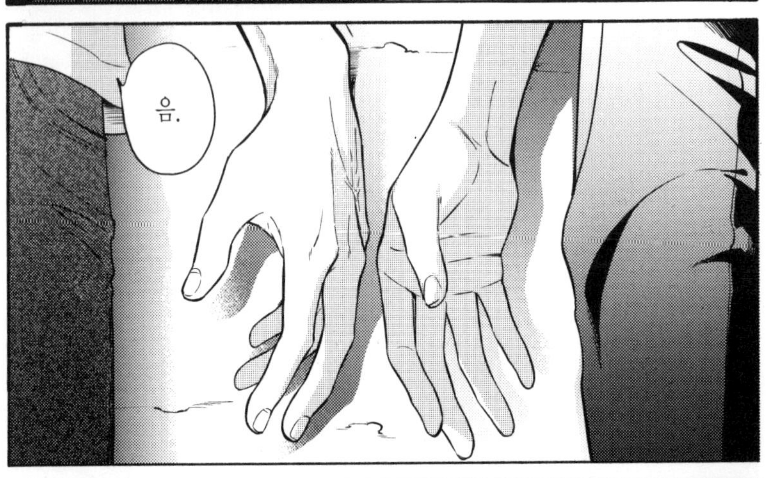
음.
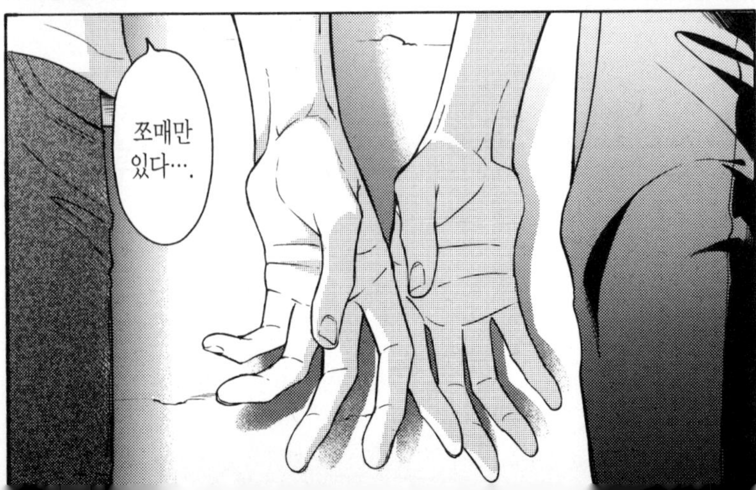
쪼매만 있다….

꼼짝할 수가 없어.

움직이고 싶지 않아.

타들어 갈 듯한 석양.

옆에는
이 녀석.
편안타….
후 우 …

이대로,
평생 이대로
오늘이 계속됐으면.

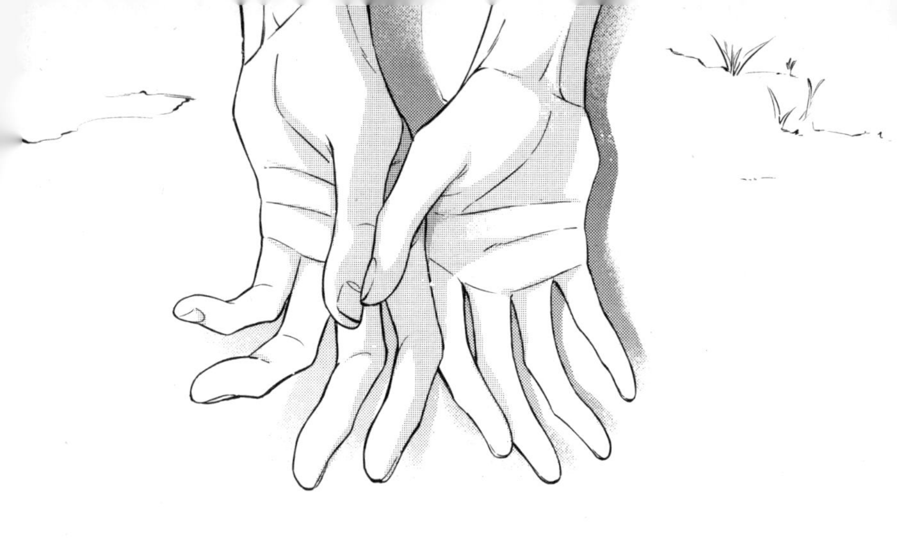

…너,

내일
연어
먹을래?

뭐?
연어?
어야.
끄덕

니 수상 하대이? 뭔 일 있나?
아이… 그냥.

있사.

누꼬…?
스윽

내 오늘은 이만 가께.
뭐?

내일 또 보자.
아.
…어야.

…….

뭐꼬! 너무 하네!
여친 생긴 거믄 말을 했어야재!

응?
참말로
...
여친
이가?

하기사
고3이니
점마도
여친 정도는
생겼겠재.

제 2 화

하아…
아이다.
이기
말이
되나?
?

아이,
모 생긴다캐도
이상할 거는
없지만서두….
내 분노엔
분명
이유가 있다!
얘기는
초등학교 때로
거슬러 올라가.
5 years ago
NAGHAMA

어느 날 난
여자애한테
고백을 받았다.
그날부터 어째선지
갑자기 잇사가
나랑 말도
안 하려고 들어서—
뚜—웅

당황한 난
여자애 고백을
거절하고
그 이후
여자보다
잇사와의 우정을
우선시해왔다.

그 뒤
중학생이 되고,
고등학생이 되어서도
그 '암묵적인 약속'을
서로
지켜왔다고
생각했다.

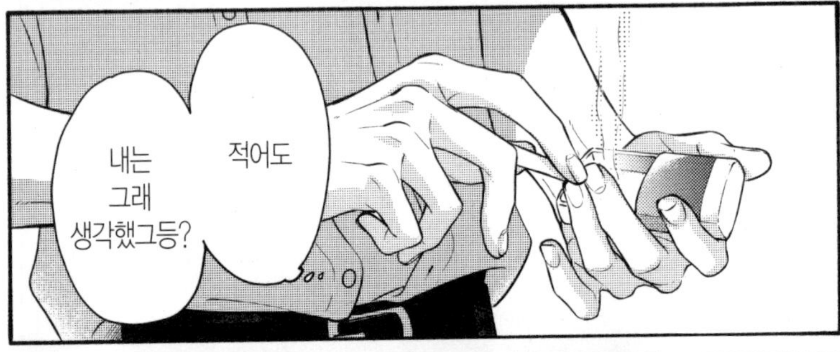
적어도
내는
그래
생각했그등?

아니…
얼라도 아이고,
언젠가는
닥칠 일이란 거
알았지만서두….
부글부글 부글 부글
그카믄
말을
해야재!

생선밖에 모르고,
덩치만 커가,
멍청하고,
무슨 생각을 하는지도
모르겠는데.
근데 점마,
여친한테
잘해줄 줄은
아나?
남친보다는
대형개를 키우는
느낌에
가까울 낀데….

…….
내도 진짜….
그기 내랑
무슨 상관이고?

울라가! 패스!
깔깔깔

우리 멍청한 얼라, 잘 좀 부탁합니대이, 여친 씨…라카는 느낌이랄까?
하하…

영차
영차
영차
영차
앙?
어?

덥석

…
나기사?

부웅

털 털 털
털 털 털
OR
TO BE

털 털 털 털 털

TO BE, OR NOT TO BE
이얍~
첨벙
첨벙
첨벙
선배~! 여 좀 보이소!!!
아, 투 비구나?
... 토 베?
휘익
으악~
느그들 그 기운, 경기에다 좀 써라.

선배도 같이 노입시더!
싫다마.
흠뻑
아, 선배요!

억지로 끌고 와 화났심꺼?
이래 안 하믄 안 놀아 주잖아예!

같이 노는 기 싫음 동아리에 얼굴 좀 비치소.
선배가 갈차주믄 우리 다 동아리 나갈 낀데.
귀찮대이.
인자 룰도 모른다.
거짓말!

암묵적인
약속이란 기
언젠가
없어질 거란 것
정도는
내도 잘 안다.

그카믄 선배도 축구부 세례를 받읍시더!
와락
앙?
아아아아악!
휘—익
예——이!!
철버—엉

느그들…
이기
뭔 짓이고!
인자
선배도
우리랑
한 팀
이라예!
아~
내 담배!!
응?

뭔가
쩌~기서
저벅
저벅

커다란
강아지
같은 기….
저벅
저벅

응?
두
웅

잇…
촤
사
아
우왁!

니
괘않나?
에?
그…
뚝뚝뚝

그카는…
니는
와 여
있는데?
니
오토바이에
끌려가는 기
보이가

뭔지 몰라도
쫓아왔다.
일마,
이거
내 생각보다
10배는 더
대형견이고마.

찌릿
뜨끔

느그들
1학년
이가?
셋이
한꺼번에
이카믄
안 되재.
비겁하게.
예?
저벅 저벅 저벅

싸울 끼믄
내도
끼아라!
어허
...
오해다.
그런
얼라들
아이그등?
씨
극
탁
탁
탁
탁

일마들
축구부
후배다.
그냥
장난친 기라
마.
퍼뜩 사과해라
맞나
….
아,
안녕
하십니꺼.

그르르릉…
반갑
대이….
울컥
고마해라!
그기
화난 얼굴로
할 소리가?

인자
그만
가래이.
싫다.
싫기는
뭐가
싫노!

와?
와
오늘은
점마들이랑
노는 긴데?

아니,
그기…
내일부터
내 점마들
축구 갈친다
안 하나.
참말요?
아싸~
니가
와?!
와는
무슨
와고?!
축구
갈차
달라카니까
갈차주는
거재!!

그카믄
내랑은?
내랑은
안 노나?

일마,
이거….
지가
무슨
초딩이가
….

어허…
이기 다
니를
위해서다.
툭

솔직히…
내 없는 기
니한테
나은 기라.
와?

그야
니한테
우선해야
할 게
생겼으이까!
와?라니

우선해야
할 기
몬데?
부글…
니 진짜
몰라 묻나….
그 정도로
바보가…?
내 바보 맞다.
근데 니도
하고 싶은 말
있으믄
똑디 해라.
핫
울컥

그카고 빙빙 ※돌리말하믄 내 몬 알아듣는다.
똑디 말해라!
말하고 싶지 않다꼬!!
이 두 글자는 진짜로 말하고 싶지 않다!!!

※돌려 말하면

…얼라도 아이고, 그걸 와 몬 알아듣노!!
니 그래 둔하믄 진짜로 미움 받는대이!!!
누가 내를 미워하는데?!

누구긴 ….
하, 참말 미치겠네!
내는 니한테 미움받는 것만 아님 다 괜않타!!

으
윽

니…
바보가….
?
기쁜가
본데.
선배,
억수로
기쁜가 보다.

확

니
잘 들으래이. 이
생선바보
친구야.
콱
응.
부정 안 함

'좋아한다'
에도
여러 가지가
있다.
친구랑
여친에 대한
'감정'을
똑같이
취급하믄
안 된대이!!
여친?
누구
여친?

혹시 어제
그 여자…
여친
아이가?
하아?
아이다!

그 사람은
내 사부—
선장님
사모님이다.
사부한테
돈 빌리준 사채업자가
집까지 찾아와가
위험하다꼬
어무이가 우리 집으로
피신시킸다 안 하나.
못난 남자한테
좋은 여자가 있다는 건
후쿠오카의 정설

…아.

맞나
….

뭐꼬~.
사모님을
여친으로
잘못
안 기가?
아 하하하 하 하
아이!
분위기가
딱 그래
보있다!
잘못
본 기라!

내는 니한테
미움받는 것만
아님
다 괜않타!!
핫
임마!

와
그라노?
앗.
아이다.

어떡하지…?
잇사 얼굴을 볼 수가 없어.
TO BE, OR NOT TO BE

제 3 화

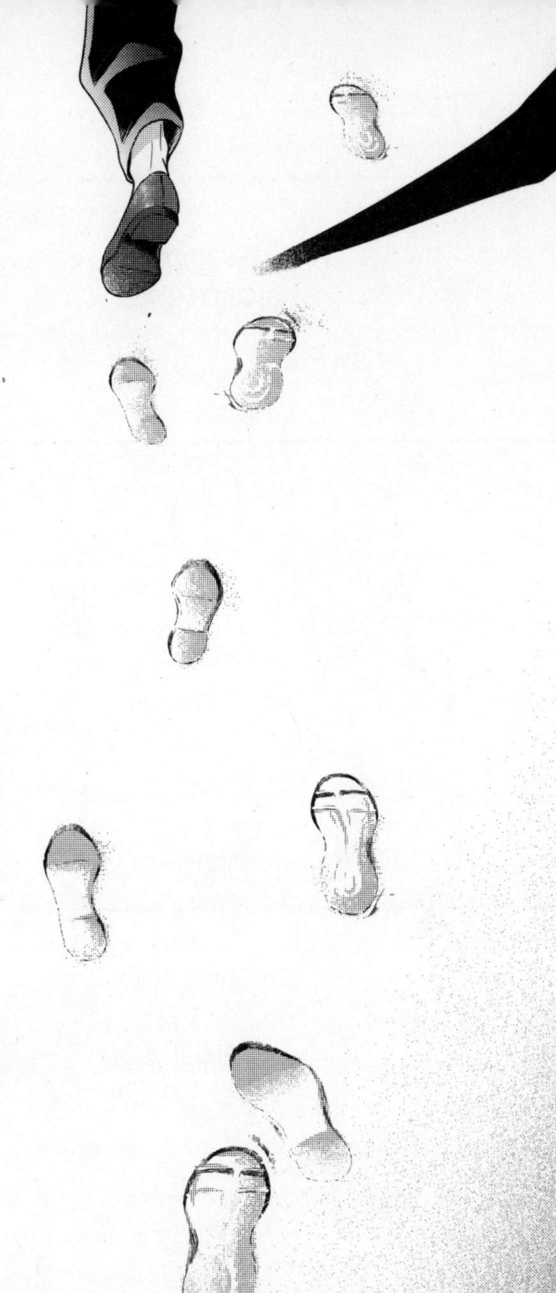

1분 전까지도
아무렇지 않았다.

그런데 어째선지
지금은
잇사의 얼굴을
볼 수가 없어.

우째
얼굴이
빨간데?
열사병
아이가?
아,
아이다!
인자 고만
내리라!
히죽히죽

철벅

저벅 저벅
질척 질척
선배~!
뭡니까?
둘이
몬 사이
길래ㅡ.
찌릿
이만
갑니더~.
조심히
가이소~!
?

쏴…
쏴…

뭔가 떠들어야 카는데….
평소대로.
…어색해….
우짜지…?

……

맞나.

아무 말 없어도
좋았재.

일마랑 있는 기
좋았던 기라.

교복
다 말랐나?
잇샤

응?

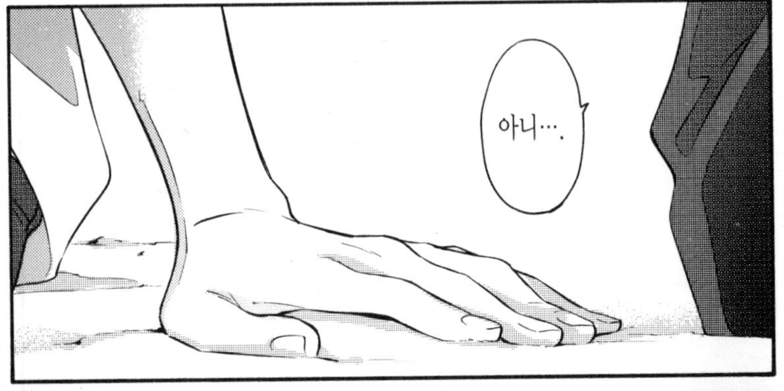
아니….

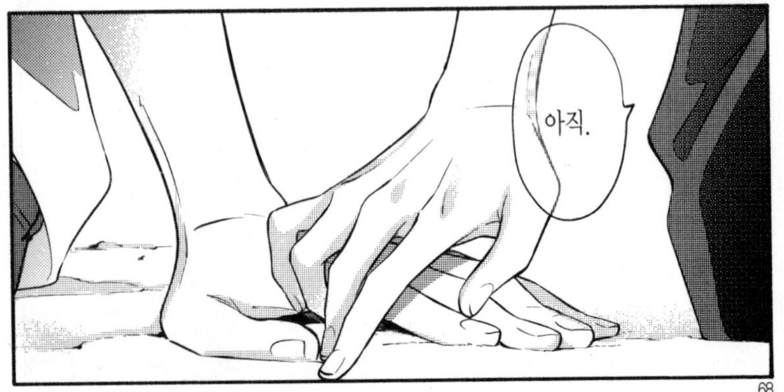
아직.

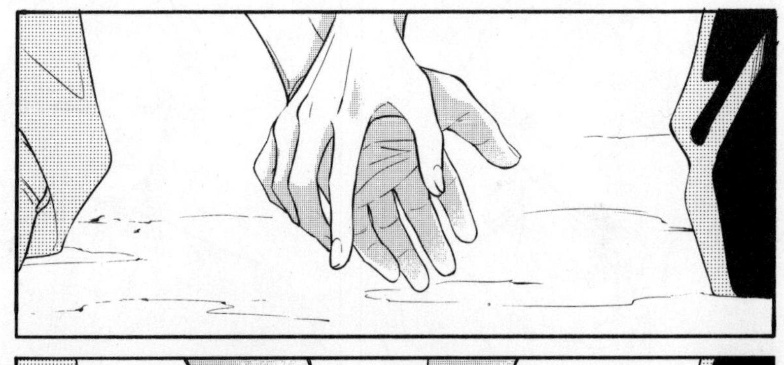

다
말랐다.
고마
가자.

잠깐만!
탓
저벅…
저벅
저벅
귀가 빨개….

야.
픕
니 와
키스했노?
하고
싶어가.

하고 싶음
아무한테나
다 하나?
말이 되는
소릴 해라!

너니까
했재!
당연한 거
아이가?

…흐응.

그 뒤—
우린 평소처럼
시답잖은 잡담을 떠들다
평소처럼 헤어졌다.

오늘도
분명
똑같겠지.
탁
다만
아주 조금
시장으로
향하는
발걸음이
가벼워지고
헉

애썼다.
툭
어야.

교복은 역시 못 쓴다 카드나?
응, 엄마한테 왕창 깨졌다.
하하.
아주 조금
어깨에 걸친 잇사의 팔이 무거워졌을 뿐.

응,
이 폰으로
쓸 수
있다카드라.
하모,
스마트폰이믄
뭐든
다 되재.
톡?
참말로?
우째하믄
되는데?
가르쳐도.
어디
보재이~
니는
속꺼지
할배가?
시험 삼아
함 해보까?
오야.
됐다!
다운
꾹

띠롱♪
안경 하세요☺
푸
풉!
핫
웃기지 말래이!
니 일부러 그칸 거재?
잘못 쳤다.
켁
콜록
이거 사진 우째 보내노?
후후, 안경… 후후후
후후
이거.
여기.

띠롱
…이건 또 언제 찍은 기고…?
응? 언제더라?
멋대로 찍지 마라….

그래도 다행이다. 인자 내 배 타고 나가도 연락이 될 기다!
싱긋

맞나.
훗

응
?

배?
어야.
원양어선
알재?
반년은
몬 온다.
전송
전송
전송
띠롱
띠롱
띠롱

뭐어?
응?

제 4 화

원양어선?
응.

말도 마라. 억수로 어려운 서류 잔뜩 적었다 안 카나.
참말 힘들었대이.
아아…
맞나….

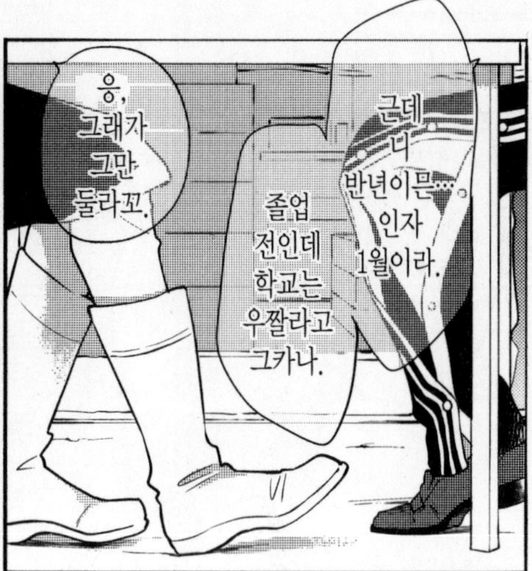
응, 그래가 그만 둘라꼬.
근데 니 반년이믄… 인자 1월이라.
졸업 전인데 학교는 우짤라고 그카나.

그만….
그만두면 쓰나. 아깝게!

우짜겠노.
학교보다 배 타게 된 기 훨 기쁜걸!

일마, 이거…
배 타는 생각밖에 없나 보네?
부모님은?
뒤통수를 갈기긴 했지만, '내 자식이니 우짜겠노' 그카더라.
…내는?
내는 안중에 읎나?
…내는
지금 이 애기… 처음 듣는데.

응.
그이까
지금
얘기하잖애.

아아~
참말로!
이래
되고 싶지
않았는데
….
맞나….

…뭐를?
들떠가
잊아
뿌렸다.

친구라믄
거짓부렁
이라도
'잘 됐다!
잘 다녀온나!'
했을 낀데.

…와?
기쁘지
않나?

그동안은
'친구사이'라
말
못 한 기라.
근데
인자는
아이다!
이미
깊이 얽혔다
아이가.

몬 소린지
알겠나?

미안타
….
몰라서.
하
고마
하자.
덜컹

니는 내가 안 가길 바라나?
꽉
왁
그럼 그렇다고 똑디 말해라.
니가 가지 말라카믄 내 안 가께!
으득
!

잇사!
퍼뜩 안 온나!
봐라, 부른 대이!
가라꼬!
그기 아이다!
놔라
그판 말에 내 기뻐할 줄 알았나!! 내를 뭐로 보고!!
쪼매만 기다려 주이소!

떨어져 있는 기 쓸쓸한 기재?
윽.
뭐라 카노.
반년은 금방 간대이.
그래 화낼 거 읎다.
니!
내 마음 멋대로 단정 짓고,
우쭐하지 마라! 으이? 문디 자슥아!

내가 문디믄
하고 싶은 말도
똑디 못하는 니는
문어대가리가?!
울컥
이이익!

니, 내
좋아하재?
벌
떡

뭐어?
조,
좋아
하는데?!

소리가
작대이!
좋아
한다꼬!
을매나
좋나?!
뭐꼬?
글쎄…
세상에서
제일 좋다!

분노 게이지
슝
푸쉬──…

그럼…
내 마음도 좀 물어봐라.
'원양어선 타고 싶은데 니 생각은 어떠노?' 이카고.
말해두지만, 니 같은 요상한 놈 옆에 붙어 있는 건 내 뿐일 기다!

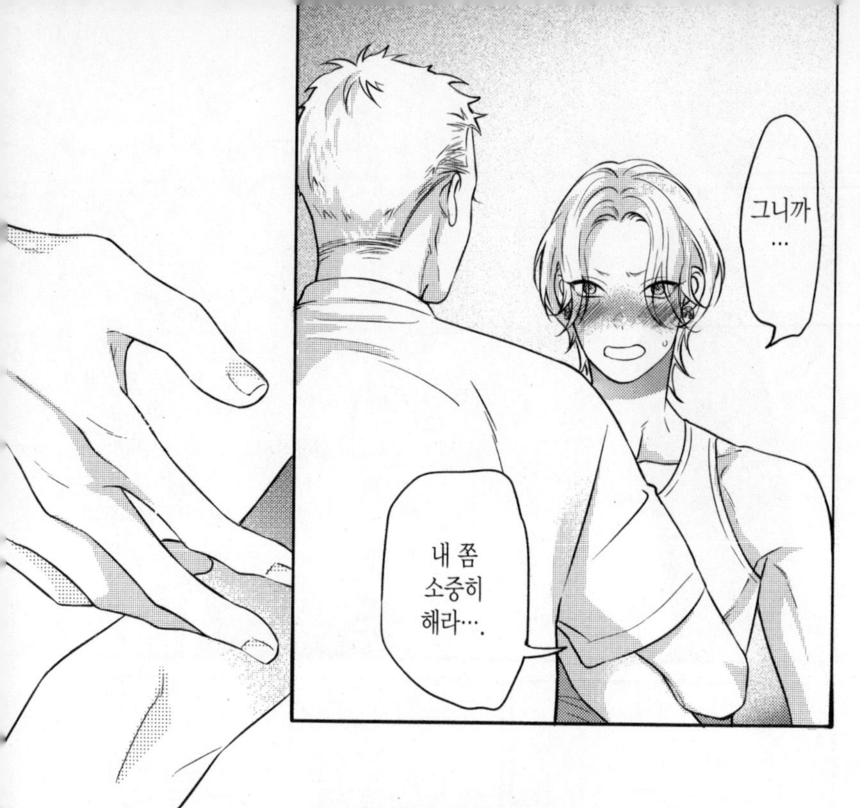
그니까
…
내 쫌
소중히
해라….

…맞나.
듣고 보이
그라네.

팟

멋대로 결정해가
미안타.
근데
어선 타는 기는
내 꿈이었다
안 하나.
원양어선
타게
보내주라!

~~큭
됐다 마.
내가 은제
고개
숙이라켔나!
찰딱

쓰
담
내는 지금
니가 억수로
좋대이.
쓰담
쓰담
그캐도…
한 번은
물어봐주믄
좋겠다.
내가…
니 안에
있는 것 같아
기쁘니까….

고마 고개 들어라.
아이다. 기분 억수로 좋으니까 계속 만져 주라.
WAN
인마가!
미안 하대이….
알았다. 조심 하께….
…근데 내는 바보라 또 저지를지 모른다….
맞나. 오래 알아가 그 정도는 내도 예상했다.
쓰담
쓰담
하아—…

참말
못 당하겠네….

요즘 불량은
고분고분
하꼬마….
역시
이 동네
Z세대는
다르다카이.

나기사!
와?
잇사 글마, 지금 부모님이랑 왔다카드라.
니는 알았나?
글마 자퇴 한다매?
…오야.

뭐꼬~ 알았나~? 와 안 말맀노?
앞으로 반년만 참으믄 졸업인데 아깝구로!
내가 말한다고 들을 놈이가?

매ㅡ엠
맴맴맴
쌔ㅡ애
내일
방과 후 학교에
부모님이랑
자퇴서 내러
갈 끼다.
맞나?

언제
떠나는데?
읏차
모레.
샥
탁
사
삭
앗.
니.
아—…

어선 타려믄
내부터
쓰러뜨리고
가라.

알았다!

'알았다'가 아이재!
니가 내를
우째 이기노!
싫다캐라!
거참~
어렵네….

가란 기가,
말란 기가?
어느 쪽이고?!
둘 다
래이.

24시간
365일,
함께하고
싶지만
가고 싶어가
설레는
니 모습
보는 것도
좋다.

그니까
참아
보께.

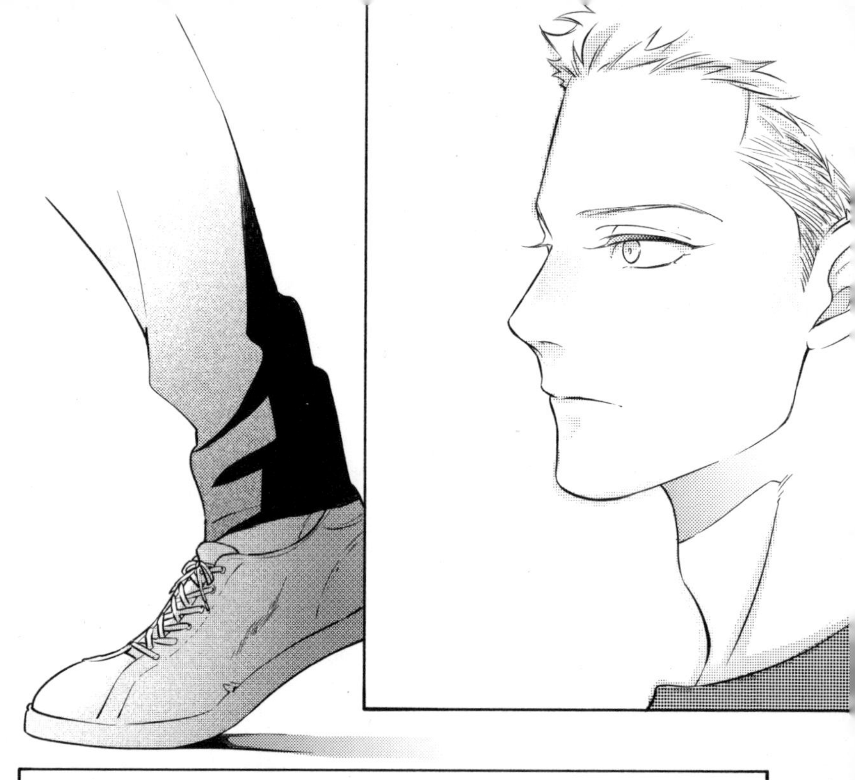

툭

내도
외로울 끼다.

당연
하재!
외롭지
않다카믄
내 손에
죽는대이!
꾸욱

하들
하들

그…
저번에 본
후배들이

우리더러
어울리는
커플이라
카드라….

커플?
니는 우찌
생각하노?

…그러는
니는?
우떠노?
뭐꼬?
내가 먼저
물었다
아이가.
아니,
내는
니 의견을
듣고 싶어가!

픔

커플이라….
우째 영
쑥스럽고마.
응.

마…
그렇게 됐으이까
잘 좀
부탁한대이.
나야말로.
꾸벅
잘 부탁하꼬마

하하
후후후

반년 치 키스
다 하고 가라.

핫
응
쪽
쪽
철컹

우와…,
?
으아~.
푸핫
우짜노.
서뿌릾다….

참말이가?!
어디 보재이.
하지 마라!
쪼매
진정될 때까정
있어봐라!
아하하하
매~앰
맴맴
맴~…
깔깔깔
니 반년은
내 생각하며
해소하는
기다?
당연하재.

이미
그카고 있다.
그칸단 말은
없었잖아!

하아?!
휙
웅~…
앙?
앗사
LOVE
앗사

그냥
쪼매….
푸핫!
뭐꼬?
응?
아이다.
우리
바보 강아지가
억수로
귀여워가.

제 5 화

분양 아파트 건설예정

아파트 건설 장
우리 공터가….
지난 10년간 건설부문
1위를 놓치지 않은 일보

톡은
읽어놓고…
와 답장을
안 하노.
쳇

선배
몬 일 있나?
맨날 폰만
본다 아이가.
퍼뜩 좀
갈차주지

잇사 선배한테
답장이
읎나 보네.

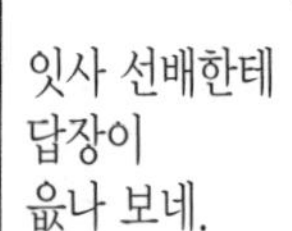

뭐?
몇일이나?
1시간
쪼매
안 됐다.
뭐?
고작
1시간?!

섬세한 소녀가?!
아하하! 맞나.
인자 보이 나기사 선배 순수하고마.
그자? 내도 전부터 그리 생각했다!
생긴 건 화려해도 속은 순수 청년이라!
왁자 지껄
스으윽
휘익
뻥
퉁 x2
평소 같으면 나도 이렇게 안절부절못하진 않았을 거다.
교무실
쪼르르륵…
KING 전용!!
그캐도 이럴 땐,
이럴 때만큼은 바로 답장해주길 바란다 아입니꺼….

이노무 자슥…
손생한테
푸념하러 와가
커피꺼정
얻어먹을라
카네….
니가
왕
이가?
Yes,
I am KING.
땡큐,
아베 쌤♡
지는
교무실
커피 냄새가
억수로
좋심더.

불량 주제에
학교랑
교무실
좋아하는
아는
니뿐일 끼다.
스포츠
과학부로
가믄
체육 슨생도
가능하대이.
다시
학교로
돌아오는
기재.

글쎄…
우짤
까예….
달리
하고 싶은 일도
읎어가
결정했지만
서두….

다들 당연한 듯이
대학에 진학하거나
취직을 하거나
어선을 타거나—

조금씩
변해간다.

나 혼자
변하지 않는 게
두렵다.

"참말로? 와~ 대박 충격이대이!"

그 말 한 마디믄 안심이 될 낀데….

잇사!
니
은제까지
울 끼고!
바다에
휴대폰 좀
떨군 거
갖고!
윽
으흑
훌쩍
훌쩍

'쫌'이
아니라예!
참말
충격이었다
아입니꺼!!
으흑흑흑…
흑
흑흑
후쿠오카로
돌아갈 때꺼정
나기사랑
연락도
못 하믄
전
죽심니더…!
니 같은
근육질 고릴라가
으데
그 정도에
죽겠나!
넓 ——— 쩍
날마다
벌크업 하는
주제에!

문명의 이기 만세!
참말 입니꺼…? 요즘 폰 쥑이네예…!
임마, 이거 참말 18살 맞나?

자, 내 폰 빌려줄 테이 부모님헌테 연락해라.
됐심더. 전화비도 비싼데 우야 씁니꺼.

배에 와이파이 있다 안 하나. 안 비싸다!

그럼 어무이 통해 나기사한테 연락 넣어달라 할게예!
맘대로 해라 마.
내는 잔다

%

잇사네 어무이?
예, 아지매?

나기사? 오랜만 이대이. 잘 지내나?
예, 잘 지냅니더. 지 얘긴 울 어무이한테 들었을 낀데?
아하하, 맞나.

두근
아참참, 잇사가ㅡ.

바다에 폰을 빠드려가 연락을 몬 한단다.

아~ 놀래라! 뭔 일 있나 식겁했다 아입니꺼!

그자? 내 그럴 줄 알고, 중고로 사주길 참말 잘했재~!
하하
그거 땜에 전화 주신 겁니까?
아참, 그리고
살아 돌아올 것 같으이 그 편지는 고마 버리뿌리라 카드라….
하?
편지~? 몬 편지예?
글쎄, 말하믄 알 끼라 카든데.
아니, 난 모르그등?

편지?
뒤적
뒤적

앗….

바스락
나기사에게
나기사에게

네가
이 편지를
읽는다는 건
난 이미
이 세상에
없단 거겠지?
뭔 소리고?
니
살아있다.

배 타는 거
허락해줘서
고마워.
나도 너랑
헤어지는 게
괴로웠지만
가기 전에
키스할 수 있어서
이제 여한은 없어.
언제 죽어도 괜찮아.
꽉
일마,
이거 온통
죽을 생각
뿐이네.

그땐 정말 긴장돼서 기절할 것 같더라.
그기 바로 죽을 것 같다 카는 기다.
이 문디 자슥!

초등학교 5학년, 처음으로 같은 반이 됐을 때가 지금도 기억나.
반 중심에 홀로 반짝이는 녀석이 있구나… 생각한 게 네 첫인상이었지.

좋아하는 사람은 빛이 나 보인다는 말… 그때 처음 알았어.

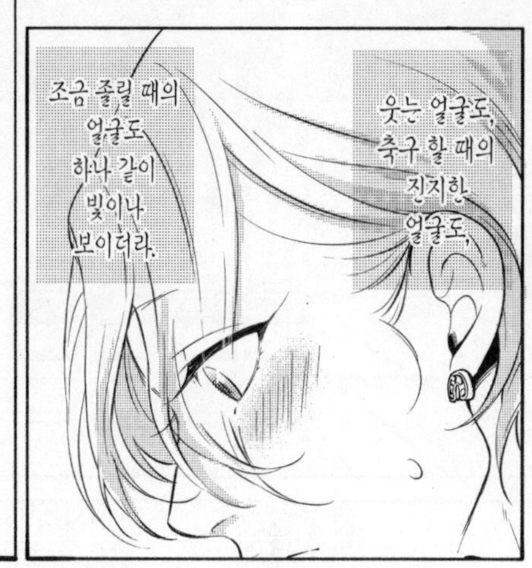
웃는 얼굴도, 축구 할 때의 진지한 얼굴도,
조금 졸릴 때의 얼굴도 하나 같이 빛이나 보이더라.

어느 때건 너에게서 '좋아하는' 걸 발견할 수 있는 건 나뿐이라고 자신 있게 말할 수 있어.

좋아해.
정말 좋아해.

만일 무사히 돌아간다면 우리 같이 연어 먹으러 가자.
할 때의 진지한
얼굴도 하나 같이 빛이 나 보이
에게서 '좋아하는' 걸 발견할 수 있는 건
이라고 자신 있게 말할 수 있어.
해. 정말 좋아해.
무사히 돌아간다면
같이 연어 먹으러 가자.
연어
…잇사.

글쎄,
와 하필
연어냐꼬!!
연어 그림은
와 또
잘 그리는데?!

훗

앗.
선배가 웃는다!
인자 기분은 좀 괜찮심꺼?
2대 2 경기 한판 뛰재이! 갈차주께.
아싸!

뭐꼬.

내는
그냥
여서

양팔 벌리고
기다리믄
되는 기라.
나기사!

전혀
겁낼 필요도
읎네.

왔나?
내
왔다….
꼬옥

ㅇㅇㅇ…
…니 와 이리 퀭하노?!
무섭게
퀘엉
2주나 니랑 말 한마디 못 나눴다 아이가. 밥맛이 있어야재….
그기 누구 때문인데?
이 문디 자슥아!
흑흑흑…

내는… 내가 이래 약한 줄 몰랐대이.

니 없음
내는
구제불능인
기라….

꼴사납재
….

꽈악

꽈
아아
으앗?!
~악

와
이라노?
아이….
넘
귀엽잖아….

일마가 이래 귀여웠나…?
얼굴 쫌 보이도.
박 박
보지 마라. 삐쩍 곯아가….
푸흐흐
아이다.

전보다 훨씬 멋진 사내가 됐다 아이가.
미나토 잇사(港一颯).
내도… 어릴 때부터 쭉 좋아했다.

핫

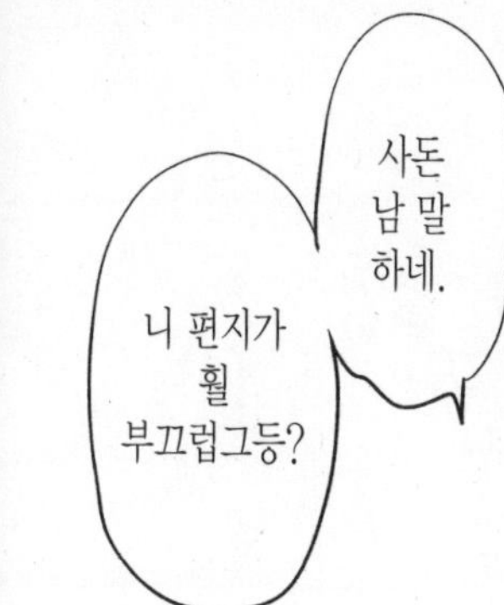
사돈 남 말 하네.
니 편지가 훨 부끄럽그등?

뭐꼬, 갑자기….
부끄럽게 스리.
탁

앗, 그 편지 안 버렸나?
우째 버리노. 그 재밌는 걸!

근데.
재밌다꼬…?

연어
묵자는 기
뭔 소리고?
욱

…아니.

연어는
보통 아침에
묵는다
안 하나.
Japanese Traditional Breakfast
Hello
마 메뉴에 따라
다르지만….
근데 그기 뭐?

……。
그이까
아침 같이
묵자꼬….

그걸 내 우찌 아노?!
뚜웅
에이….

보통은 알지 않나?
니한테 보통은 너~무 독특해가 못 알아듣는다!

그보다 니는?

수험이다 뭐다 바빴재?
아이, 내는 딱히….

'딱히'가
아니재.
있잖아.
응?
내
학교 슨생
함 해보까…
…하고

생각 …
중…
인데 ….

천연덕
마 좋은 생각 아이가.

그게 끝이가?
앙?
엥?
하모~.
진지하게 생각 해라!
이 문디 자슥아!!

내 인생일대의 결심을 '옷이 잘 어울리네' 같은 텐션으로 답하믄 우짜노!
아, 그카고 보니 딱 그기네.
하?

잘
어울린다.
니가
슨생이믄
내도 매일
학교
갔을 끼다.

똥
-

마
그런
거믄…
…용서
하께!
크으…
아하하

공
나기사
선생.
힘내라.

아침놀이 진 하늘이
파랑과 분홍빛으로
섞여든다ㅡ.

내,
말 몬 한 게
하나 더
있다.
잇사….
?

지금 같이
연어 무러
안 갈래?

End

중학교 때
축구를
은퇴하고
고등학교 들어가면
잇사랑 바보처럼
방과 후에 놀러 다니며
시답잖은 일상을
보내야지 하고—
실은 꽤 기대했었다.
하지만 그 희망은
그 바보가
항구에 꽂히면서
물거품이
되고 말았다.

교 복 입 고 노 는 법

그래서
오늘만큼은
같이
학생다운 일을
하고 싶다.
나기사
선배!
느그들
뭐꼬.
후다다닥

선배~! 졸업 축하 합니더~!!
뿌애앵~
허~엉
선배 지도를 가슴에 새기고, 축구부 부흥에 힘 쓰겠심더!
흐어~엉 허~엉
마 그기는 내 알 바 아이다만….
내가 축구부도 아이고

지들도 꼭 선배랑 같은 대학에 갈 낍니더!
오지 마라. 성가시다.
에이, 쑥스러워 하기는!
속으론 좋으면서~♪
나기사!

왔나!

잇사!
졸업식 보러 온 기가?
아이, 내는 일마가 기사로 불러 왔다.
역시 건방진 나기사 님.

잘 가라,
문디 자슥들!
담에 어디서든
또 보재이!
니는 내랑
같은
대학이다!
맞나!
멍청한 건
니다~
졸업식은
어땠노?
부우우웅…
니
울었재?
우…
울긴
누가.
울었
고마….

니 그거
갖고 왔나?

교복 말이재?
갖고는
왔다만….
뭐에
쓸라꼬?

내한테 다
계획이 있다.

사람 없는
데로
가재이.

나가하마 To Be, or Not To Be
이야~ 경치 쥑이네~.
간만에 입는대이.
이 부근이 좋겠다.

표옹
휙
?
?

표창장!
미나토
잇사!

당신은
3년이란 긴 시간 동안
나가하마
중앙시장에서
열심히 일하였음을!
나
미나토
나기사가
증명
합니다!

니만
졸업증서가
없음
쓸쓸하잖애.
내가 주는
표창장이다.
씩
익

꾸
벅

와락
꾸
웩

뭐꼬?
끝까정
말을 해라.
참말~
니도…
으이그~.
쓰담
쓰담
헝클
헝클

슥읍
탁
고맙다.
니가
참말
좋고!!!
사랑
한대이
~!!!
이~
이~
이~
메아리
(자기 입으로)
고마해라,
문디
자슥아!!
창피하구로!!!
찌잉...

나가하마 To Be, or Not To Be

웁
쪼옥
후후후

푸하
잡아 묵겠다!

하―….
너무 좋아가 머리가 터질 것 같다….
후후후.

지금보다 이상해지믄 내도 감당 몬 하는데?
푸하
너무 하네.

인자 뭐 하노 …?
….

노래방 가자!

노…
노래방?
기껏 교복도 입었겠다, 마지막이라도 학생답게 놀아야재!
덥석

아아…마… 그카긴 한데… 지금 이 흐름에 그기이….
좀 더… 꽁냥거리는 걸로…
노래방 갔다~ ㅇㅇㅇ에서 밥도 묵고~
영화도 보고, 게임센터도 가고, 노점에서 라면도 묵고~.
꾸욱
꾸욱

맞나.
맨날 내 좋은 것만 해가
니는 내한테 시간도, 상황도 맞추기만 했재.
만약 내가 평범한 고등학생이믄 좋았을 낀데….
미안 하다.

이 문디.
딱콩
얏
쓸데없이 낙심하지 마라.
내는 이거믄 된다.

지금의 우리니까
둘만의 추억을 만들 수 있다 아이가.

이기 우리의 청춘인 기라.

그럼 오늘은 하고 싶던 거 다 하재이.
오야, 니 약속한 기다?

그래.
!

탕

아.

…….
내 지금 억수로 좋은 생각이 떠올랐대이.
응?

교복 입고 놀 수 있는 거?
응.
아~! 근데 이기 좀 창피한데! 억수로 창피한데!!
뭐꼬?
벅 벅
?

교복
두 번째
단추.
내
주라.

니,
참말…
우와,
창피….
그래도
좋다!
그자?!
내 천재
아이가!
천재
대이!

아하하
이기
청춘
이재~!
End

Special Thanks
☆세키자키 마사토
☆쿠마 G

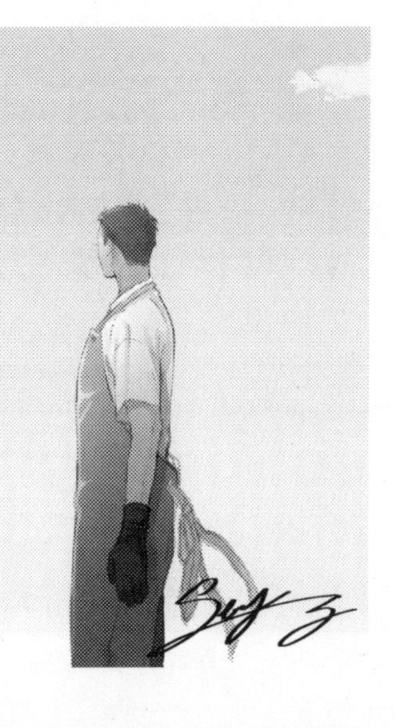

나가하마 To Be, or Not To Be

2024년 03월 08일 초판 인쇄
2024년 03월 15일 초판 발행

저자 : Scarlet BERIKO
역자 : 서수진
발행인 : 황민호
콘텐츠2사업본부 : 최재경
책임편집 : 유수림 / 임효진 / 김영주
발행처 : 대원씨아이(주)

서울 특별시 용산구 한강대로15길 9-12
전화 : 2071-2000·FAX : 6352-0115
1992년 5월 11일 등록 제 3-563호

Nagahama To Be, or Not To Be

Original design concept by arcoinc

문의 : 영업 02) 2071-2072 / 편집 02) 2071-2119

ISBN 979-11-7172-932-6 07830